Библиотека
начальной школы

Стихи и Сказки для детей

С. МАРШАК

Художник
Май Митурич

Москва
Издательство АСТ

Угомон

Сон приходит втихомолку,
Пробирается сквозь щёлку.

Он для каждого из нас
Сны счастливые припас.

Он показывает сказки,
Да не всем они видны.
Вот закрой покрепче глазки —
И тогда увидишь сны!

А кого унять не может
Младший брат — спокойный сон,
Старший брат в постель уложит —
Тихий, строгий Угомон.

Спи, мой мальчик, не шуми.
Угомон тебя возьми!

———

Опустела мостовая.
По дороге с двух сторон
Все троллейбусы, трамваи
Гонит в парки Угомон.

Говорит он: — Спать пора.
Завтра выйдете с утра!

И троллейбусы, трамваи
На ночлег спешат, зевая...

———

Там, где гомон, там и он —
Тихий, строгий Угомон.
Всех, кто ночью гомонит,
Угомон угомонит.

Он людей зовёт на отдых
В деревнях и городах,
На высоких пароходах,
В длинных скорых поездах.

Ночью в сумраке вагона
Вы найдёте Угомона.
Унимает он ребят,
Что улечься не хотят.

Ходит он по всем квартирам.
А подчас летит над миром
В самолёте Угомон:
И воздушным пассажирам
Тоже ночью нужен сон.

Под спокойный гул моторов,
В синем свете ночника
Люди спят среди просторов,
Пробивая облака.

———

Поздней ночью
Угомону
Говорят по телефону:
— Приходи к нам, Угомон.
Есть у нас на Малой Бронной
Паренёк неугомонный,
А зовут его Антон.

По ночам он спать не хочет,
Не ложится на кровать,
А хохочет
И грохочет
И другим мешает спать.

Люди просят: — Не шуми,
Угомон тебя возьми!

Говорит неугомонный:
— Не боюсь я Угомона.
Посмотрю я, кто кого:
Он меня иль я его!

—

11

Спать ложатся все на свете.
Спят и взрослые и дети,
Спит и ласточка и слон,
Но не спит один Антон.

До утра не спит и слышит,
Как во сне другие дышат,
Тихо тикают часы,
За окошком лают псы.

Стал он песни петь от скуки,
Взял от скуки книгу в руки.
Но раздался громкий стук —
Книга выпала из рук.

Да и как читать в постели:
Лампа светит еле-еле...

Начал пальцы он считать:
— Раз-два-три-четыре-пять, —
Но сбивается со счёта —
Не даёт считать дремота...

Вдруг он слышит: — Дили-дон! —
Появился Угомон.

Проскользнул он в дом украдкой,
Наклонился над кроваткой,
А на нитке над собой
Держит шарик голубой.

Да как будто и не шарик,
А светящийся фонарик.

Синим светом он горит,
Тихо-тихо говорит:

— Раз. Два.
Три. Четыре.
Кто не спит у вас в квартире?
Всем на свете нужен сон.
Кто не спит, тот выйди вон!

———

Перестал фонарь светиться,
А из всех его дверей
Разом выпорхнули птицы —
Стая быстрых снегирей.

Шу! Над мальчиком в постели
Шумно крылья просвистели.
Просит шёпотом Антон:
— Дай мне птичку, Угомон!

— Нет, мой мальчик, эта птица
Нам с тобою только снится.
Ты давно уж крепко спишь...
Сладких снов тебе, малыш!

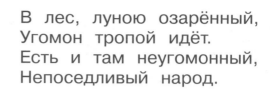

В лес, луною озарённый,
Угомон тропой идёт.
Есть и там неугомонный,
Непоседливый народ.

Где листвою шелестящий
Лес в дремоту погружён,
Там прошёл лесною чащей
Седобровый Угомон.

Он грозит синичке юной,
Говорит птенцам дрозда,
Чтоб не смели ночью лунной
Отлучаться из гнезда —

Так легко попасть скворчатам,
Что выходят по ночам,
В плен к разбойникам крылатым —
Совам, филинам, сычам...

———

С Угомоном ночью дружен
Младший брат — спокойный сон.
Но и днём бывает нужен
Тихий, строгий Угомон.

Что случилось нынче в школе?
Нет учительницы, что ли?

Расшумелся первый класс
И бушует целый час.

Поднял шум дежурный Миша.
Он сказал: — Ребята, тише!

— Тише! — крикнули в ответ
Юра, Шура и Ахмет.

— Тише, тише! — закричали
Коля, Оля, Галя, Валя.

— Тише-тише-тишина! —
Крикнул Игорь у окна.

— Тише, тише! Не шумите! —
Заорали Витя, Митя.

— Замолчите! — на весь класс
Басом выкрикнул Тарас.

Тут учительница пенья
Просто вышла из терпенья,
Убежать хотела вон...
Вдруг явился Угомон.

Оглядел он всех сурово
И сказал ученикам:
— Не учи
Молчать
Другого,
А молчи
Побольше
Сам!

Старуха, дверь закрой!

Народная сказка

Под праздник, под воскресный день,
Пред тем, как на ночь лечь,
Хозяйка жарить принялась,
Варить, тушить и печь.

Стояла осень на дворе,
И ветер дул сырой.
Старик старухе говорит:
— Старуха, дверь закрой!

— Мне только дверь и закрывать,
Другого дела нет.
По мне — пускай она стоит
Открытой сотню лет!

Так без конца между собой
Вели супруги спор.
Пока старик не предложил
Старухе уговор:

— Давай, старуха, помолчим.
А кто откроет рот
И первый вымолвит словцо,
Тот двери и запрёт!

Проходит час, за ним другой.
Хозяева молчат.
Давно в печи погас огонь.
В углу часы стучат.

Вот бьют часы двенадцать раз,
А дверь не заперта.
Два незнакомца входят в дом,
А в доме темнота.

— А ну-ка, — гости говорят, —
Кто в домике живёт? —
Молчат старуха и старик,
Воды набрали в рот.

Ночные гости из печи
Берут по пирогу,
И потроха, и петуха, —
Хозяйка — ни гугу.

Нашли табак у старика.
— Хороший табачок! —
Из бочки выпили пивка.
Хозяева — молчок.

Всё взяли гости, что могли,
И вышли за порог,
Идут двором и говорят:
— Сырой у них пирог!

А им вослед старуха: — Нет!
Пирог мой не сырой! —
Ей из угла старик в ответ:
— Старуха, дверь закрой!

Не так

Сказка

Что ни делает дурак,
Всё он делает не так.

Начинает не сначала,
А кончает как попало.

С потолка он строит дом,
Носит воду решетом,

Солнце в поле ловит шапкой,
Тень со стен стирает тряпкой,

Дверь берёт с собою в лес,
Чтобы вор к нему не влез,

И на крышу за верёвку
Тянет бурую коровку,

Чтоб немножко попаслась
Там, где травка разрослась.

———

Что ни делает дурак,
Всё он делает не так.

И не вóвремя он рад,
И печален невпопад.

На пути встречает свадьбу —
Тут бы спеть и поплясать бы,

Он же слёзы льёт рекой
И поёт заупокой.

Как схватили дурака,
Стали мять ему бока,

Били, били, колотили,
Чуть живого отпустили.

«Ишь ты, — думает дурак, —
Видно, я попал впросак.

Из сочувствия к невесте
Я поплакал с нею вместе.

Ладно, в следующий раз
Я пущусь на свадьбе в пляс!»

———

Вот бредёт он по дороге,
А навстречу едут дроги.

Следом движется народ,
Словно очередь идёт.

Поглядел дурак на пеших.
«Ну-ка, думает, — утешь их,

Чтоб шагали веселей
За телегою своей!»

Сапожком дурак притопнул,
О ладонь ладонью хлопнул

Да как пустится плясать,
Ногу óб ногу чесать!

Взяли люди дурака,
Стали мять ему бока,

Били, били, колотили,
Полумёртвым отпустили.

«Вишь ты, — думает дурак, —
Я опять попал впросак.

Больше я плясать не стану,
Да и плакать перестану.

Ладно, с завтрашнего дня
Не узнаете меня!»

———

И ведь верно, с той минуты
Стал ходить дурак надутый.

То и дело он, дурак,
Говорит другим: — Не так!

Он не плачет и не пляшет,
А на всё рукою машет.

Постороннему никак
Не узнать, что он дурак.

Дети буквы пишут в школе,
Да и спросят: — Хорошо ли?

Поглядит в тетрадь дурак,
Да и вымолвит: — Не так.

Шьют портнихи на машинке,
Шьют сапожники ботинки.

Смотрит издали дурак
И бормочет: — Всё не так!

И не так селёдок ловят,
И не так борщи готовят,

И не так мосты мостят,
И не так детей растят!

Видят люди, слышат люди,
Как дурак дела их судит,

И подумывают так:
«Что за умница дурак!»

Про одного ученика
и шесть единиц

Пришёл из школы ученик
И запер в ящик свой дневник.

— Где твой дневник? — спросила мать.
Пришлось дневник ей показать.

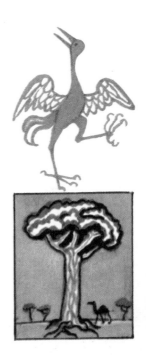

Не удержалась мать от вздоха,
Увидев надпись: «Очень плохо».

Узнав, что сын такой лентяй,
Отец воскликнул: — Шалопай!

Чем заслужил ты единицу?
— Я получил её за птицу.

В естествознании я слаб:
Назвал я птицей баобаб.

— За это, — мать сказала строго, —
И единицы слишком много!

— У нас отметки меньше нет! —
Промолвил мальчик ей в ответ.

— За что вторая единица? —
Спросила старшая сестрица.

— Вторую, если не совру,
Я получил за кенгуру.

Я написал в своей тетрадке,
Что кенгуру растут на грядке.

Отец воскликнул: — Крокодил,
За что ты третью получил?!

— Я думал, что гипотенуза —
Река Советского Союза.

— Ну, а четвёртая за что? —
Ответил юноша: — За то,

Что мы с Егоровым Пахомом
Назвали зебру насекомым.

— А пятая? — спросила мать,
Раскрыв измятую тетрадь.

— Задачу задали у нас.
Её решал я целый час,

И вышло у меня в ответе:
Два землекопа и две трети.

— Ну, а шестая, наконец? —
Спросил рассерженный отец.

— Учитель задал мне вопрос:
Где расположен Канин Нос?

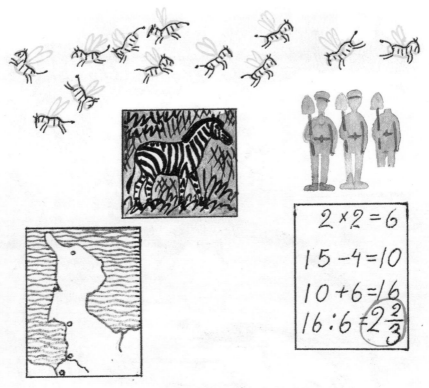

$$2 \times 2 = 6$$
$$15 - 4 = 10$$
$$10 + 6 = 16$$
$$16 : 6 = 2\frac{2}{3}$$

А я не знал, который Канин,
И указал на свой и Ванин...

— Ты очень скверный ученик, —
Вздохнув, сказала мать. —
Возьми ужасный свой дневник
И отправляйся спать!

———

Ленивый сын поплёлся прочь,
Улёгся на покой.
И захрапел. И в ту же ночь
Увидел сон такой.

37

Жужжали зебры на кустах
В июльскую жару.
Цвели, качаясь на хвостах,
Живые кенгуру.

В сыром тропическом лесу
Ловил ужей и жаб
На длинном Ванином Носу
Крылатый баобаб.

А где-то меж звериных троп,
Среди густой травы,
Лежал несчастный землекоп
Без ног, без головы.

На это зрелище смотреть
Никто не мог без слёз...

— Кто от него отрезал треть? —
Послышался вопрос.

— От нас разбойник не уйдёт.
Найдём его следы! —
Угрюмо хрюкнул бегемот
И вылез из воды.

— Я в порошок его сотру! —
Воскликнул кенгуру.
— Он не уйдёт из наших лап! —
Добавил баобаб.

Вскочил с постели ученик
В шестом часу утра.
Пред ним лежал его дневник
На стуле, как вчера...

Ноль и единица

Из книги «Весёлый счёт»

Вот это ноль иль ничего.
Послушай сказку про него.

Сказал весёлый, круглый ноль
Соседке-единице:
— С тобою рядышком позволь
Стоять мне на странице!

Она окинула его
Сердитым, гордым взглядом:
— Ты, ноль, не сто́ишь ничего.
Не стой со мною рядом!

Ответил ноль: — Я признаю́,
Что ничего не сто́ю,
Но можешь стать ты десятью,
Коль буду я с тобою.

41

Так одинока ты сейчас,
Мала и худощава,
Но будешь больше в десять раз,
Когда я стану справа.

Напрасно думают, что ноль
Играет маленькую роль.

Мы двойку в двадцать превратим.
Из троек и четвёрок
Мы можем, если захотим,
Составить тридцать, сорок.

Пусть говорят, что мы ничто, —
С двумя нолями вместе
Из единицы выйдет сто,
Из двойки — целых двести!

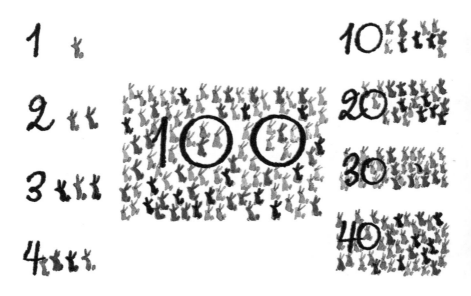

Чего бы вам хотелось ещё?

В одном из лагерей ребят спросили: чего бы вам ещё хотелось? Одна из девочек ответила: — Поскучать.

Есть волшебный сад на свете,
Где бывают только дети.

Там тридцать дней подряд
День рожденья у ребят.
И едят они в столовой
В эти дни не суп перловый,
Не лапшу, не вермишель,
Не овсянку, не кисель,
А печенья,
И пирожные,
И варенья
Всевозможные.

Спят ребята не в постели,
А на быстрой карусели,
На раскрашенных конях,
В раззолоченных санях.

Входят в дом они не в двери,
А в открытое окно,
И семь раз по крайней мере
Смотрят вечером кино.

Так живут они на воле,
Бросив книжку и тетрадь,
А учительница в школе
Учит по полю скакать.

Для чего над скучной книгой
Проводить за часом час?
Выходи на двор и прыгай
По земле из класса в класс!

Там не ставятся отметки,
Вместо них ученику
Выдаётся по конфетке,
А подчас — по пирожку.

Не житьё, а просто чудо!
Одного я не пойму:
Кое-кто бежит оттуда —
Неизвестно почему.

— Объясните: в чём тут дело? —
Я спросил у двух ребят.
— Веселиться надоело! —
Мне ребята говорят.

Надоело нам варенье,
Надоели дни рожденья.
То и дело распевай:
«Испекли мы каравай!»

Надоели
Нам качели,
Надоели
Карусели.
Хорошо бы поскучать,
Поскучать
И помолчать!

Из Джанни Родари

Что читают кошки по воскресеньям

У кошек есть воскресная
Газета интересная,
Где в трёх столбцах — не менее —
Даются объявления:

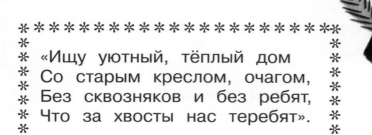

****
*   *
* «Ищу уютный, тёплый дом   *
* Со старым креслом, очагом, *
* Без сквозняков и без ребят, *
* Что за хвосты нас теребят». *
*   *
◆◆◆◆◆◆◆◆◆◆◆◆◆◆◆◆◆◆◆◆◆◆◆

«Нужна синьора средних лет
Для чтенья книжек и газет.
Условье: знанье языков
В соседних лавках мясников».

Так целый день до темноты
В любое воскресенье
Читают кошки и коты
Кошачьи объявленья.

Потом, газету уронив,
Подняв очки повыше,
Поют, мурлыкая, мотив,
Что слышали на крыше.

Династия лентяев

Не впадая в пристрастие,
Расскажу вам, ребята,
О лентяйской династии,
Что царила когда-то.

Самый первый по счёту
И по времени Лодырь
Впал с рожденья в дремоту
Или в сонную одурь.

Четверть века он правил
И, предвидя кончину,
Королевство оставил
Тоже Лодырю — сыну.

Этот Лодырь Второй,
По прозванию Соня,
Тихо правил страной,
Ибо спал он на троне.

И пошли от него
Короли друг за дружкой:
Лодырь Третий, кого
Звали просто Подушкой.

И Четвёртый, что стал
Класть в постель себе грелки
(А поэтому спал
И под гром перестрелки).
Дальше царствовал Пятый,
По прозванию Мятый.

В бок толчок получал он,
Чуть во сне помаленьку
Со ступеньки сползал он
На другую ступеньку.

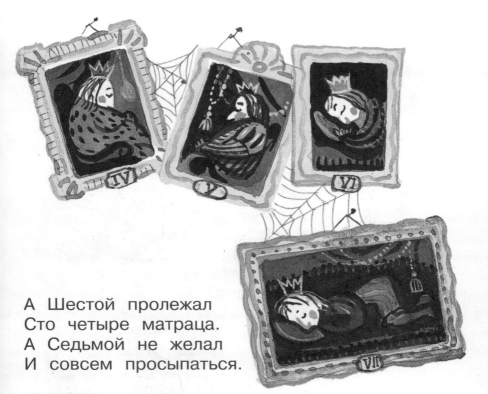

А Шестой пролежал
Сто четыре матраца.
А Седьмой не желал
И совсем просыпаться.

А Восьмой себя звал
По ошибке Девятым.
Значит, сын его стал
Поневоле Десятым.

Он отпраздновал брак,
Взяв принцессу Зевоту,
И семнадцать Зевак
Народил он по счёту.

Всем будившим его
Он давал подзатыльники
И носил оттого
Кличку «К чёрту будильники!».

Был ленив, как тюлень,
Лодырь номер Одиннадцать,
Целый день было лень
С места Лодырю сдвинуться.

Он скончался давно,
И в истории края
Королём «Всё равно»
Именуют лентяя.

Он смотрел без участья
На чужие несчастья,
На войну и на мир,
На рагу и на сыр,

На людей и на кошек,
На морковь и горошек,
На индейку и зайца,
На капусту и яйца...

Не имел он пристрастия
Ни к чему никогда,
И, последний в династии,
Он исчез без следа.

Из А.-А. Милна

Баллада о королевском бутерброде

Король,
Его величество,
Просил её величество,
Чтобы её величество
Спросила у молочницы:
Нельзя ль доставить масла
На завтрак королю.

Придворная молочница
Сказала: — Разумеется,
Схожу,
Скажу
Корове,
Покуда я не сплю!

Придворная молочница
Пошла к своей корове
И говорит корове,
Лежащей на полу:

— Велели их величество
Известное количество
Отборнейшего масла
Доставить к их столу!

Ленивая корова
Ответила спросонья:
— Скажите их величествам,
Что нынче очень многие
Двуногие-безрогие
Предпочитают мармелад,
А также пастилу!

Придворная молочница
Сказала: — Вы подумайте! —
И тут же королеве
Представила доклад:

— Сто раз прошу прощения
За это предложение.
Но если вы намажете
На тонкий ломтик хлеба
Фруктовый мармелад, —
Король, его величество,
Наверно, будет рад!

Тотчас же королева
Пошла к его величеству
И, будто между прочим,
Сказала невпопад:

— Ах да, мой друг, по поводу
Обещанного масла...
Хотите ли попробовать
На завтрак мармелад?

Король ответил:
— Глупости! —
Король сказал:
— О боже мой! —
Король вздохнул:
— О господи! —
И снова лёг в кровать.

— Ещё никто, — сказал он, —
Никто меня на свете
Не называл капризным...
Просил я только масла
На завтрак мне подать!

На это королева
Сказала: — Ну, конечно! —
И тут же приказала
Молочницу позвать.
Придворная молочница
Сказала: — Ну, конечно! —
И тут же побежала
В коровий хлев опять.

Придворная корова
Сказала: — В чём же дело?
Я ничего дурного
Сказать вам не хотела.
Возьмите простокваши,
И молока для каши,
И сливочного масла
Могу вам тоже дать!

Придворная молочница
Сказала: — Благодарствуйте! —
И масло на подносе
Послала королю.
Король воскликнул: — Масло!
Отличнейшее масло!
Прекраснейшее масло!
Я так его люблю!

— Никто, никто, — сказал он
И вылез из кровати.
— Никто, никто, — сказал он,
Спускаясь вниз в халате.
— Никто, никто, — сказал он,
Намылив руки мылом.
— Никто, никто, — сказал он,
Съезжая по перилам, —
— Никто не скажет, будто я
Тиран и сумасброд,
За то, что к чаю я люблю
Хороший бутерброд!

Непослушная мама

Джеймс Джеймс
Мо́ррисон Мо́ррисон,
А попросту —
Маленький Джим,
Смотрел за упрямой,
Рассеянной мамой
Лучше,
Чем мама за ним.

Джеймс Джеймс
Говорил: — Дорогая,
Помни, что ездить одна
В город
До самого
Дальнего края
Ты без меня не должна!

Но очень упряма
Была его мама.
(Так люди о ней говорят.)
Упрямая мама
Надела упрямо
Свой самый
Красивый наряд.

«Поеду, поеду, —
Подумала мама, —
И буду к обеду
Назад!»

Король
Объявленье велел написать
И вывесить
Там, где надо:
«Пропала,
Ушла
Иль украдена мать,
И тем, кто сумеет
Её отыскать,
Сто золотых награда!»

Искали-искали
Пропавшую маму,
Искали три ночи,
Три дня.
Был очень
Английский король озабочен,
И свита его,
И родня.

Английский король
Говорил королеве:
— Ну кто же из нас виноват,
Что многие мамы
Ужасно упрямы
И ездят одни, без ребят?

Я знаю, —
Сказал он, —
Ту площадь в столице,
Где мой расположен дворец.

Но в нашей столице
Легко заблудиться,
Попав
В отдалённый конец!

Джеймс Джеймс
Мóррисон Мóррисон,
А попросту —
Маленький Джим,
Смотрел за упрямой
Рассеянной мамой
Лучше, чем мама за ним.

Он очень скучал
По уехавшей маме.
— Но чья, — говорил он, — вина,
Что бедная мама
Решила упрямо
Куда-то поехать одна?..

Но вот отыскалась
Пропавшая мама.
С дороги
Пришла от неё телеграмма,
В которой писала она:

«Целую, здорова,
И — честное слово —
Не буду я ездить
Одна!»

ИЗ АНГЛИЙСКИХ

НАРОДНЫХ ПЕСЕНОК

Из английской
народной поэзии

Королевский поход

По склону вверх король повёл
Полки своих стрелков.

По склону вниз король сошёл,
Но только без полков.

Шалтай-Болтай

Шалтай-Болтай
Сидел на стене.
Шалтай-Болтай
Свалился во сне.

Вся королевская конница,
Вся королевская рать
Не может
Шалтая,
Не может
Болтая,

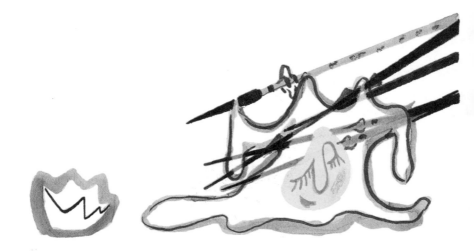

Шалтая-Болтая,
Болтая-Шалтая,
Шалтая-Болтая собрать!

Разговор

Тётя Трот и кошка
Сели у окошка,
Сели рядом вечерком
Поболтать немножко.

Трот спросила: — Кис-кис-кис,
Ты ловить умеешь крыс?
— Мурр!.. — сказала кошка,
Помолчав немножко.

Доктор Фостер

Доктор Фостер
Отправился в Глостер.
Весь день его дождь поливал.
Свалился он в лужу,
Промок ещё хуже,
И больше он там не бывал.

О мальчиках
и девочках

Из чего только сделаны мальчики?
Из чего только сделаны мальчики?
   Из улиток, ракушек
   И зелёных лягушек.
Вот из этого сделаны мальчики!

Из чего только сделаны девочки?
Из чего только сделаны девочки?
   Из конфет, и пирожных
   И сластей всевозможных.
Вот из этого сделаны девочки!

Из чего только сделаны парни?
Из чего только сделаны парни?
Из насмешек, угроз,
Крокодиловых слёз.
Вот из этого сделаны парни!

Из чего только сделаны барышни?
Из чего только сделаны барышни?
Из булавок, иголок,
Из тесёмок, наколок.
Вот из этого сделаны барышни!

Сам по себе

Шёл я сам по себе,
Говорил я себе,
Говорил я себе самому:
— Ты следи за собой
Да гляди за собой,
Не нужны мы с тобой никому!

Отвечал я себе,
И сказал я себе,
И сказал самому себе так:
— Сам следи за собой
Да гляди за собой.
Ишь учить меня вздумал, дурак!

В гостях у королевы

— Где ты была сегодня, киска?
— У королевы у английской.

— Что ты видала при дворе?
— Видала мышку на ковре!

77

Дочки в бочке

У короля
И его королевы
Были три дочки,
Три юные девы.

Жили все три
Королевские дочки
Не во дворце,
А под жёлобом в бочке.

Перевернулась
И лопнула бочка.
Выпали дочки из бочки
И точка.

Будь эта бочка
Немножко прочнее,
Песня о дочках
Была бы длиннее.

Содержание

УДК 821.161.1-1-053.2
ББК 84(2Рос=Рус)6-5
М30

Серия «Библиотека начальной школы»
Литературно-художественное издание
Для младшего школьного возраста

Самуил Яковлевич Маршак
СТИХИ И СКАЗКИ ДЛЯ ДЕТЕЙ
Сказки, стихи

Художник Май Петрович Митурич

Дизайн серийной обложки *Е. Гордеевой*
Дизайн обложки *Ю. Снурницыной*

Редактор *О. Головченко.* Художественный редактор *М. Салтыков*
Технический редактор *Е. Кудиярова.* Корректор *И. Мокина*
Компьютерная вёрстка *В. Козелковой*

Общероссийский классификатор продукции ОК-005-93, том 2; 953000 — книги, брошюры
Подписано в печать 06.04.2017 г. Формат 60x90/16. Усл. п. л. 5,00
Тираж 5000 экз. Заказ № 4699

ООО «Издательство АСТ». 129085, г. Москва, Звёздный бульвар, д. 21, стр. 3, ком. 5
www.ast.ru

Мы в социальных сетях. Присоединяйтесь!
https://vk.com/AST_planetadetstva, https://www.instagram.com/AST_planetadetstva
https://www.facebook.com/ASTplanetadetstva

«Баспа Аста» деген ООО. 129085 г. Мәскеу, жұлдызды гүлзар, д. 21, 3 құрылым, 5 бөлме
Біздің электрондық мекенжайымыз: www.ast.ru. E - mail: astpub@aha.ru

Қазақстан Республикасында дистрибьютор және өнім бойынша арыз-талаптарды қабылдаушының
өкілі «РДЦ-Алматы» ЖШС, Алматы қ., Домбровский көш., 3«а», литер Б, офис 1.
Тел.: 8(727) 2 51 59 89,90,91,92, факс: 8 (727) 251 58 12 вн. 107; E-mail: RDC-Almaty@eksmo.kz
Өнімнің жарамдылық мерзімі шектелмеген.

Отпечатано в филиале «Тверской полиграфический комбинат
детской литературы» ОАО «Издательство «Высшая школа»
170040, г. Тверь, проспект 50 лет Октября, д. 46
Тел.: +7 (4822) 44-85-98. Факс: +7 (4822) 44-61-51

Маршак, Самуил Яковлевич
М30 Стихи и сказки для детей / С. Маршак; худож. М. Митурич. — Москва : Издательство АСТ, 2017. — 77, [3] с. : ил. — (Библиотека начальной школы).

ISBN 978-5-17-096570-0.

В эту книгу вошли такие известные произведения С. Маршака, как: «Старуха, дверь закрой!», «Про одного ученика и шесть единиц», песенки «Шалтай-болтай», «Королевский поход» и многие другие. Отличительная особенность книги в том, что в ней использованы иллюстрации потомственного художника — М. Митурича, за которые он получил серебряную медаль на Международной Лейпцигской выставке искусства книги в 1965 году.

Для младшего школьного возраста.

УДК 821.161.1-1-053.2
ББК 84(2Рос=Рус)6-5